とっても うれしい イースター

ぶん
ティム・ソーンボロー
え
ジェニファー・デイヴィソン
やく
やまがた ゆうこ フットマン

JN061121

Originally published in English by The Good Book Company as

A Very Happy Easter

© The Good Book Company, 2019

Words by Tim Thornborough.

Illustrations by Jennifer Davison.

Design and art direction by André Parker

www.thegoodbook.co.uk

とっても　うれしい　イースター

《ペーパーバック版》
たいせつなきみブッククラブ
2022年 2 月 1 日発行

　　　文　　ティム・ソーンボロー
　　　絵　　ジェニファー・デイヴィソン
　　　訳　　山形優子フットマン
　発　行　いのちのことば社
　　164-0001　東京都中野区中野 2-1-5
　　　編集 Tel. 03-5341-6924
　　　営業 Tel. 03-5341-6920／Fax. 03-5341-6921
落丁・乱丁お取り替えいたします。
Printed in Malaysia© 2020 山形優子フットマン
ISBN978-4-264-04214-3

このえほんは、ほかとは　ちょっと　ちがいます。
めとみみ　だけでなく、おかおを　うごかしながら
よんでみましょう。

イエスさまが　じゅうじかで　しんで
みっかめに　いきかえったことを　おいわいした
せかいで　はじめての　イースター！

えほんのなかの　いろいろなひとの
おかおを　まねしてみてね。

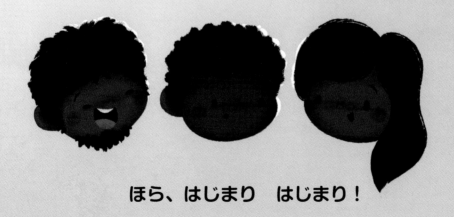

ほら、はじまり　はじまり！

イエスさまが　エルサレムに　やってきました。

みんな　**にっこり**　えがおで、おおよろこび！
イエスさまは　かみさまの　こどもで　おうさまです。
おうさまに　あったときの　おかおって、どんなかお？

でも、イエスさまを
だいきらいな
　ひとも　いました。

まゆを　しかめて
「だいきらい！」
そのひとたちは　イエスさまを　つかまえ、じゅうじかに　かけました。
こわい　おかおの　ひとたちです。

イエスさまは、じゅうじかの うえで
しんで しまいました。

イエスさまの　おともだちは
かなしくて　こわくて
みんな　ないています。
あなたの　かなしい
おかおは　どんなかお？

そして、イエスさまを
いしの　おはかに　いれました。
おはかの　いりぐちを

おもくて
おおきな
いしで
ふさぎました。

みんな　**とっても　かなしい**
おかおです。

みっかめの　あさ　はやく、
おんなの　ひとたちが
イエスさまの　おはかに　いくと……

おもい
いしの
ふたが
あいて
います！

おはかのなかの　イエスさまの　からだは　どこに　いったのでしょう？
みんな **びっくり！　こまった　こまった。**

すると、てんしたちが
あらわれて　いいました。

イエス
さまは
ここには
いません！

いき
かえった
のです！

それを きいた みんなは
しんぞうが **ドキドキ！**
びっくりした おかおは、
どんなかお？

それから　あわてて、
ほかのみんなに　いま　あったことを　つたえようと、はしって　いきました。

でも、だれも　しんじて　くれません。
「ほんとうかなぁ？」という　おかおは
どんな　かお？

すると、とつぜん　めのまえに　イエスさまが　あらわれました。
みんな　**びっくり**！　イエスさまは　みんなに

おはなし
をし、

ごはん
をたべ、

てと
あしを
みせました。

やっぱり
イエスさまは
いきかえったのです！

イエスさまは
「こわくないよ。
　みんなの　だいすきな
　いつもの　わたしだよ。

わたしは
いちど
しんだ
けれど
いき
かえった
んだよ。

ずっと　ずっと、いつまでも
みんなと　いっしょだよ」
といいました。

イエスさまに また あえて
みんな にこにこ えがおに。

うれしくって

とってもうれしくって

さいこうに しあわせ！
こんなに うれしいことは
いままで なかった ほどです。

そして、イエスさまは
「わたしが いつも いっしょ ということを ほかの
みんなにも おしえてあげて」と やさしく いいました。

そこで みんなは、
まだ あったことのない おともだちにも この**うれしい しらせ**を
つたえたいと せかいじゅうに でかけて いきました。

イエスさまが　じゅうじかで　しんで、また　いきかえったので
これからは　みんな　いつも　イエスさまと　いっしょです。
こうして　この**うれしい　しらせ**が
いま　**あなた**の　もとにも　とどいたのです！